Un agradecimiento especial a Michael Ford

Para Alex McAteer

DESTINO INFANTIL Y JUVENIL, 2013
infoinfantilyjuvenil@planeta.es
www.planetadelibrosinfantilyjuvenil.com
www.planetadelibros.com
Editado por Editorial Planeta, S. A.

© de la traducción: Macarena Salas, 2012

Título original: *Blaze. The Ice Dragon*

© del texto: Working Partners Limited 2009
© de la ilustración de cubierta e ilustraciones interiores:
Steve Sims - Orchard Books 2009
© Editorial Planeta, S. A., 2013
Avda. Diagonal, 662-664, 08034 Barcelona
Primera edición: junio de 2013
ISBN: 978-84-08-11336-2
Depósito legal: B. 11.034-2013
Impreso por Liberdúplex, S. L.
Impreso en España – Printed in Spain

El papel utilizado para la impresión de este libro es cien por cien libre de cloro y está calificado como **papel ecológico**.

ÓN

DE HIELO

ADAM BLADE

La Tierra Prohibida

EL VALLE DE LA MUERTE

LA JUNGLA DE LA MUERTE

EL BOSQUE OSCURO

...URA

LOS PICOS DE LA MUERTE

¡*S*alve, seguidores y compañeros en la Búsqueda!

Todavía no nos hemos conocido, pero, al igual que tú, he estado siguiendo de cerca las aventuras de Tom. ¿Sabes quién soy? ¿Has oído hablar de Taladón el rápido, Maestro de las Fieras? He regresado, justo a tiempo para que mi hijo, Tom, me salve de un destino peor que la muerte. El perverso brujo Malvel me ha robado algo muy valioso, y sólo podré regresar a la vida si Tom consigue completar una nueva Búsqueda. Mientras tanto debo esperar entre dos mundos, el humano y el fantasma. Soy la mitad del hombre que era, y sólo Tom puede devolverme a mi antigua gloria.

¿Tendrá Tom el valor necesario para ayudar a su padre? Esta nueva Búsqueda es un reto incluso para el héroe más valiente. Además, para que mi hijo venza a las seis nuevas Fieras, puede que tenga que pagar un precio muy alto.

Todo lo que puedo hacer es esperar a que Tom triunfe y me permita recuperar todas mis fuerzas algún día. ¿Quieres ayudar con tu energía y desearle suerte a Tom? Sé que puedo contar con mi hijo, ¿y contigo? No podemos perder ni un instante. Esta misión tiene que seguir adelante y hay mucho en juego.

Todos debemos ser valientes.

Taladón

PRÓLOGO

Por la puerta abierta de la cabaña se oían gritos de dolor, pero Derlot pasó de largo y siguió hacia el jardín de las hierbas. Él era uno de los pocos afortunados que, de momento, había conseguido librarse de la horrible enfermedad. Cuando la hiena mordió al primer pastor y éste cayó enfermo, nadie en Rokwin se hubiera imaginado que la enfermedad se extendería. Derlot había pasado dos días en el mercado de Piedradura, pero a su regreso, descubrió que prácticamente todas las familias de Rokwin habían enfermado. La gente se estaba muriendo. Derlot esperaba poder hacer algo para ayudar.

Su padre había sido un curandero cuya fama se extendía hasta las Llanuras. Él aseguraba que una de sus plantas medicinales, el helecho cuerno de alce, podía curar cualquier enfermedad en Avantia.

Derlot abrió la puerta de la valla que daba al jardín de las hierbas y se dirigió hacia las plantas. Muchas se habían secado y el jardín estaba lleno de malas hierbas. Pero de pronto vio el helecho cuerno de alce, con sus hojas de color verde oscuro y las puntas rojas.

Se arrodilló en el suelo y sacó su cuchillo de podar. Apoyó el filo contra el tallo de una planta y en ese momento oyó un aullido que cortó el aire del verano. ¿Serían más hienas?

Se levantó y miró a su alrededor. Entre los árboles vio una figura extraña y oscura que se movía como el humo de una fogata. Una sensación de inseguridad se apoderó de él al darse cuenta de que aquel extraño ser se dirigía hacia él demasiado rápido como para ser humo.

Derlot notó que se le abría la boca cuando sus ojos le revelaron algo que su cerebro se negaba a aceptar. Era una especie de dragón, pero no como los que salen en los cuentos de niños. Tenía el cuerpo serpenteante cubierto de escamas rojas y verdes. Movía su larga cola de un lado a otro para impulsarse por el aire. El monstruo abrió sus heladas mandíbulas para dejar al descubierto unos peligrosos colmillos.

Derlot retrocedió hacia la puerta abierta de la valla, pero tropezó y se cayó en el camino. El dragón sobrevoló por encima de su cabeza, echando humo por la nariz. Abrió la boca y el hombre levantó las manos para protegerse. Sabía lo que iba a pasar.

Fuego.

Pero de pronto lo rodeó una ráfaga de aire helado. Bajó las manos y notó que el jardín había cambiado. Todas las plantas, incluyendo el valioso helecho cornudo, estaban cubiertas de hielo. El suelo bajo sus pies estaba blanco por la escarcha, y hasta los cordones de sus botas se habían congelado. El dragón respiraba hielo.

El dragón descendió en el aire y Derlot se quedó atrapado en su mirada. Había algo extraño en sus ojos verdes, parecían humanos. ¿Sería una Fiera o un hombre? ¿O una combinación espeluznante de ambos?

El dragón rugió y pegó un coletazo en la tierra. El suelo tembló con el impacto y las plantas se rompieron como si fueran de cristal. Los fragmentos de hielo se

convirtieron en una neblina que cegaba a Derlot. Casi inconsciente, vio que el dragón se alejaba volando hacia el volcán de Piedradura.

Derlot observó el jardín destrozado y emitió un gemido de desesperación. Sin las hierbas, los habitantes de Rokwin estaban condenados a morir.

En Piedradura, la gente tenía otros terrores a los que enfrentarse.

CAPÍTULO UNO

SALIDA DE LA TIERRA PROHIBIDA

El sol apenas se elevaba un dedo sobre el horizonte cuando Tom y Elena salieron del Bosque Oscuro. Tom estaba cansado. La batalla con *Luna*, la loba de la luna, lo había llevado al límite, y a Elena también.

—A lo mejor deberíamos descansar —sugirió Elena.

El chico miró a su amiga. Tenía las rodillas magulladas de la caída que había sufrido hacía poco. Despúes miró a sus valientes animales de compañía. *Plata*, el lobo de Elena, trotaba por delante de ellos con la cabeza agachada y *Tormenta*, el caballo de Tom, avanzaba pesadamente.

—Ojalá pudiéramos —dijo apesadumbrado—, pero todavía no nos es posible.

Tocó la tira de cuero que llevaba colgada al cuello de la que colgaban los trozos del Amuleto de Avantia. De momento había recuperado cuatro trozos y había conseguido derrotar a las Fieras Fantasma que los protegían. Pero la Búsqueda no llegaría a su fin hasta que no consiguiera los seis trozos para completar el amuleto. Sólo entonces podría lograr que su padre, Taladón, volviera para siempre.

Su padre le había informado de que en la siguiente Búsqueda iba a tener que enfrentarse a un dragón *Blaze*.

—Tenemos que detenernos para mirar el mapa y, de paso, podríamos aprovechar para beber agua —dijo Elena.

Tom asintió y se sentó en una roca. La muchacha sacó su matraz de las alforjas de *Tormenta* mientras su amigo extendía una mano hacia adelante.

—¡Mapa! —llamó.

El aire se onduló a medida que el mapa fantasma aparecía delante de él. Sin el regalo que les había dado Aduro, no habrían podido orientarse en la Tierra Prohibida ni localizar a las Fieras.

El mapa mostraba una línea brillante, como un hilo de oro, que serpenteaba desde donde estaban, el límite del Bosque Oscuro, para atravesar los campos del este, un pueblo llamado Rokwin, entrar en el pueblo de Piedradura y terminar en las laderas del volcán.

—Piedradura es donde vive *Epos* —le dijo Elena, pasándole el matraz a Tom.

—Espero que el dragón no le haya hecho nada —dijo él tomando un trago de agua. *Epos*, el pájaro en llamas, era su amigo fiel; en otra ocasión, Tom y Elena lo habían salvado del diabólico brujo Malvel.

Tom se puso una mano por encima de los ojos y miró en dirección a Piedradura. Invocó su poder de supervista que le permitía ver hasta muy lejos. Ese poder se lo daba el yelmo dorado, parte de la armadura mágica dorada que había recuperado.

—En Piedradura hay un volcán —le dijo a Elena—, pero no veo que salga humo por el cráter. Ese volcán siempre ha estado en erupción desde antes de que yo naciera. Algo no anda bien.

—Entonces no perdamos más tiempo —insistió ella.

Ahora que Tom había estudiado el mapa fantasma y sabía cuál era su próximo destino, sentía que había recuperado la energía. Se pusieron en camino hacia la tierra de Avantia. *Plata* y *Tormenta* presintieron que su misión era urgente y recuperaron las fuerzas.

Pero a pesar de que su determinación de completar la Búsqueda era dura como una piedra, Tom no podía evitar estar preocupado. Cada vez que vencía a una de las Fieras Fantasma de Malvel, se quedaba sin uno de los poderes especiales que le daba la armadura dorada. Ahora ya sólo le quedaban dos.

Intentó alejar ese pensamiento de la cabeza. Los habitantes de Piedradura, y a lo mejor hasta *Epos*, lo necesitaban. No permitiría que Malvel ganara.

Los dos amigos llegaron al alto muro que separaba la Tierra Prohibida de Avantia. Pasaron en silencio bajo la puerta desprotegida y entraron en un lugar que les resultaba familiar.

—Se me había olvidado que el cielo podía ser tan azul y la tierra tan verde —dijo Elena. *Tormenta* relinchó, hizo una cabriola y salió galopando por el exuberante césped. *Plata* daba vueltas de alegría.

—Si no conseguimos completar esta Búsqueda —dijo Tom—, las Fieras de Malvel se apoderarán de Avantia y todo tendrá el mismo aspecto muerto que tiene la Tierra Prohibida.

—No lo vamos a permitir —dijo Elena.

De pronto, cayó un relámpago y el cielo se oscureció de inmediato.

—Puede que hayáis dejado atrás la Tierra Prohibida —la voz de Malvel retumbó por encima de sus cabezas—; sin embargo, el maleficio de las Fieras Fantasma sigue siendo muy fuerte. Habéis vencido a cuatro, pero la siguiente Fiera acabará con vosotros. Ningún mortal puede sobrevivir el aliento del dragón.

—¡No le tengo miedo a *Blaze*! —gritó Tom.

Malvel se rió.

—En esta ocasión, *Blaze* no será tu único enemigo. Te enfrentarás a dos adversarios a la vez.

La tormenta amainó tan rápido como había llegado y Malvel desapareció.

—¡Dos adversarios! —dijo Elena—. ¿Qué ha querido decir con eso?

—No lo sé —dijo Tom muy serio—, pero no me da miedo averiguarlo.

CAPÍTULO DOS

UNA TIERRA
DE HIELO

Tom y Elena se subieron al lomo de *Tormenta* y galoparon por la llanura de Avantia. *Plata* corría a su lado. Pronto se adentraron en el reino avanzando a buen paso hacia Piedradura.

El chico estudiaba el camino que tenían delante por si se presentaba algún peligro, pero le sorprendió no ver absolutamente a nadie. Ni siquiera había ovejas pastando en las praderas. Puso a

Tormenta al trote, y una vez que estaban encima de la hierba, saltó del caballo y se agachó para examinar la tierra.

—¡El césped está cubierto de escarcha! Elena frunció el ceño.

—Pero si estamos en verano.

Tom se encogió de hombros y volvió a subirse a *Tormenta*. Continuaron su viaje atravesando campos verdes con matorrales llenos de bayas. Un poco más tarde, llegaron a un estanque y Tom dirigió a *Plata* y a *Tormenta* hasta el agua para que tomaran un bien merecido trago. Pero al llegar al borde, vio que la superficie estaba congelada.

—No es normal que haga tanto frío, Elena —dijo—. Hay zonas verdes y vivas, y otras donde la tierra está completamente congelada.

Tom golpeó el hielo con la punta de su escudo e hizo un agujero para que *Plata* y *Tormenta* pudieran beber.

—¿Cómo puede estar pasando esto?
—dijo la muchacha—. El volcán de Piedradura siempre ha hecho que las zonas de alrededor sean más cálidas de lo
normal, no más frías.

Siguieron avanzando. Pronto llegaron a un camino cubierto con una gruesa capa de hielo.

—Tenemos que ir más despacio —le dijo Tom a Elena—. No podemos arriesgarnos a que *Tormenta* se resbale con el hielo y se lesione.

Observando con mucho cuidado por dónde pisaban, pasaron por un bosquecillo de árboles cubiertos de escarcha y vieron unas paredes de piedra cubiertas de hielo.

Al poco rato llegaron a un poste en el que había una señal que indicaba hacia Errinel, el pueblo de Tom, y otra que señalaba hacia Rokwin. El chico sabía que Rokwin estaba de camino a Piedradura.

—Espero que nos encontremos con alguien que nos pueda explicar qué está pasando —dijo.

Sin embargo, el camino que daba a Rokwin también estaba desierto.

—Debería haber mercaderes por esta ruta —dijo Elena—. ¿Dónde está todo el mundo?

Su amigo estaba igual de desconcertado. La vida en Avantia nunca se detenía, ni siquiera cuando el tiempo era muy malo.

Tom oyó un ruido que venía de delante. Algo se acercaba más allá de la curva del camino. Puso la mano en la empuñadura de su espada. En Avantia había animales salvajes y no quería que lo pillaran desprevenido. Elena preparó su arco.

—¿Listo? —preguntó poniendo una flecha en el arco.

Tom asintió y tensó las riendas de *Tormenta*.

Por la curva, apareció un caballo con una persona tumbada sobre su lomo.

Tom respiró aliviado y soltó la espada.

—¡Detente! Necesito hablar contigo —dijo.

Pero el caballo no se detuvo.

—Espera. ¡Por favor! —El muchacho guió a *Tormenta* para que se pusiera de lado bloqueando el camino.

El caballo se detuvo delante de ellos. Su jinete estaba tumbado sobre la silla y apenas consiguió girar la cabeza hacia ellos. Tom retrocedió al ver que tenía la cara cubierta de llagas.

Plata soltó un aullido de preocupación.

—¿Estás bien? —le preguntó Elena al hombre.

—Volveos —susurró el hombre enfermo—. Rokwin está maldito.

Después de decir esas palabras, cerró los ojos y se cayó de la montura como un saco de grano. Tom sabía que estaba muerto antes de que chocara contra el suelo. *Plata* avanzó nerviosamente hacia el hombre, mientras Elena se preparaba para desmontar.

—¡No! —dijo Tom poniendo a *Tormenta* entre el hombre y el lobo.

—¿Qué ocurre? —preguntó la muchacha.

—Este hombre ha muerto de alguna enfermedad contagiosa —le contestó Tom—. No debemos tocarlo.

El chico llevó a *Tormenta* hasta un lado del camino alejándolo de la curva todo lo que pudo. Después desmontó y usó el poder mágico de su vista para mirar el pueblo de Rokwin. No salía humo de ninguna de las chimeneas de las casas y no se veía a nadie por las calles.

Un leve movimiento llamó su atención. Detrás de un gran hangar, se había reunido una multitud. La gente caminaba sin rumbo en círculos, chocándose unos contra otros y cayéndose. Sus rostros eran como el del jinete, llenos de llagas supurantes. Una horrible enfermedad había infectado a todo el pueblo.

Con el corazón en un puño, Tom volvió hacia donde estaba Elena.

—¿Qué has visto? —le preguntó su amiga.

Le contó la situación de los desafortu-
nados habitantes del pueblo y ella se
quedó sin aliento.

—¿Qué podemos hacer por ellos?

—Primero, debemos descubrir qué ha
ocasionado esta pesadilla —dijo Tom.

«Y asegurarnos de que no nos pase
lo mismo a nosotros», pensó para sus
adentros.

Su Búsqueda acababa de hacerse el
doble de difícil.

CAPÍTULO TRES

LA EMBOSCADA

—A lo mejor los podemos ayudar —dijo Elena—. Mi tía me enseñó a usar hierbas medicinales.

Tom movió la cabeza.

—No puedes, Elena. Te podrías contagiar.

—No quiero abandonarlos, Tom —dijo la muchacha acaloradamente—. ¿No podemos usar el espolón de *Epos*?

El chico miró el espolón dorado que estaba incrustado en su escudo. Era un recuerdo de su última visita a Piedradura, cuando liberó a la buena Fiera del maleficio de Malvel. El talón tenía poderes curativos que lo habían ayudado en numerosas ocasiones, pero esta vez era muy diferente.

—El espolón cura los cortes y las heridas —explicó—. La joya verde de *Skor*, el caballo alado, cura los huesos rotos, pero esto es una enfermedad. No podemos hacer nada. Debemos centrarnos en nuestra Búsqueda y esperar llegar a tiempo para ayudarlos una vez que hayamos terminado.

Tom vio que Elena apretaba el puño con frustración. Le puso una mano en el hombro y ella bajó la cabeza apesadumbrada.

—¿Hay otra ruta que lleve a Piedradura? —preguntó al cabo de un rato con la voz entrecortada.

El muchacho volvió a llamar al mapa y estudió su brillante superficie.

—Podemos dar un rodeo por las afueras de Rokwin —dijo señalando una fina línea en el mapa—. Detrás de ese bosque.

Salieron por la nueva ruta y comprobaron que también estaba desierta. Pronto Rokwin desapareció de la vista detrás de unos árboles altos. Elena iba en silencio mientras cabalgaban y Tom sabía que, al igual que él, se sentía culpable por dejar atrás sufriendo a los habitantes del pueblo.

El camino se fue haciendo más difícil. El suelo estaba cubierto de rocas sueltas y grandes socavones. *Plata* iba delante, con el hocico pegado al suelo, guiándolos. Se detuvo al llegar a un árbol caído que bloqueaba el camino.

Tom hizo que *Tormenta* se detuviera.

—La gente del pueblo debía de estar talando árboles para hacer leña —dijo Elena—. Al ponerse enfermos tuvieron que dejar de trabajar.

—O a lo mejor han bloqueado el camino a propósito —dijo Tom.

El tronco caído era tan ancho como largo. Rodearlo era prácticamente imposible. El camino era estrecho y a ambos lados había unas laderas empinadas y rocosas.

—Tenemos que dar la vuelta —dijo Elena.

—No podemos —contestó Tom—. Es la única ruta a Piedradura. —Acarició el cuello de *Tormenta*—. ¿Qué opinas, muchacho? ¿Crees que puedes pasar por encima del tronco?

Tormenta agitó las crines y pateó con las patas delanteras. Tom sabía que siempre podía contar con su valiente caballo.

—Agárrate bien —le dijo a Elena. Su amiga se sujetó a su cintura.

Tom le clavó los talones en el costado a *Tormenta* y el caballo salió a galope tendido, lanzando piedras por todas partes.

Cuando se acercaron al tronco caído, el chico levantó las riendas y se agarró al caballo con las rodillas. De pronto estaban en el aire y sintió su propio peso caer de nuevo sobre la montura.

Los cascos de *Tormenta* pasaron por encima del tronco, rozándolo, y el animal aterrizó al otro lado con una sacudida.

—¡Buen trabajo! —gritó Tom acariciando el cuello del caballo. Miró hacia atrás y vio a *Plata*, que se había encaramado al tronco y los miraba jadeando.

—Recupera la respiración —le dijo Tom al lobo—. Te lo has ganado...

De pronto, algo pasó rozando la oreja a Tom. Algo caliente y rápido. Vio que *Plata* bajaba corriendo del tronco y se dirigía hacia los árboles que tenían delante.

—¡Ponte a cubierto! —gritó Elena.

El muchacho tiró de las riendas de

Tormenta hacia un lado mientras una llamarada de luz aparecía entre los árboles.

«Una flecha en llamas».

Una punta ardiente salió disparada desde el bosque. En un instante, Tom cogió el escudo y levantó el brazo para protegerse. La flecha se clavó en la madera haciendo un ruido sordo.

Entonces docenas de luces naranjas se hicieron visibles en el bosque, iluminando unas caras llenas de rabia.

Elena se bajó de la montura de *Tormenta*. Tom hizo lo mismo y le dio un toque en la grupa al caballo con su escudo.

—¡Corre! —gritó.

Tormenta salió corriendo hacia los árboles justo cuando caía sobre ellos una lluvia de flechas en llamas. Tom arrastró a Elena detrás de él y levantó el escudo. Las flechas rebotaron en él.

El ataque cesó, pero alguien gritó.

—¡Fuego!

Tom levantó una mano para indicar a los arqueros que no suponían ningún peligro.

—No vamos a haceros daño —gritó—. Venimos en son de paz.

Se oyeron unos murmullos y después una voz.

—Entonces daos la vuelta y largaos. No sois bienvenidos aquí.

—Tenemos que llegar a Piedradura —dijo el chico—. El camino principal está amenazado por una enfermedad.

—Aquí no hay ninguna enfermedad, niño. Y nos vamos a encargar de que siga siendo así.

Tom entendió de pronto el motivo del ataque y se arriesgó a bajar el escudo. Una fila de caras desesperadas lo observaban.

—No tenemos otra manera de llegar —dijo—. Por favor, dejadnos pasar. No estamos enfermos.

Uno de los hombres salió de entre los árboles con el arco bajado, pero con una flecha todavía cargada.

—Entonces, acercaos —dijo—. Los dos.

Tom y Elena avanzaron cautelosamente, uno al lado del otro, y se quedaron a diez pasos del grupo. El chico recuperó la esperanza. Ahora que no estaban disparando, podría razonar con aquellas personas y demostrarles que no suponían ninguna amenaza para ellos.

De pronto, el suelo que tenían bajo los pies se levantó y Tom y Elena salieron disparados por los aires. Los habían atrapado con una red y se quedaron colgando de un árbol.

«Era una trampa».

Elena gritó de rabia y de miedo, y empezó a retorcerse en la red. Tom observó al hombre que tenía por debajo y que lo apuntaba con una flecha.

Esta vez no tenían escapatoria.

CAPÍTULO CUATRO

UN PUEBLO NECESITADO

El arquero, que estaba a punto de disparar la flecha, estaba nervioso y le temblaba la mano.

Tom se esforzó por enderezarse en la red, pero las piernas se le metían por los agujeros.

—No dispares —le rogó—. Míranos, no estamos enfermos.

—No podemos arriesgarnos —dijo una voz que salía del bosque—. Mátalos.

—Muy bien —dijo el arquero sujetando el arco con más fuerza.

En ese momento se oyó un ruido que provenía de los árboles. Tom vio que el hombre miraba a su derecha y abría la boca sorprendido. *Plata* apareció corriendo de entre las sombras y le hundió los dientes en el brazo. El hombre gritó y soltó el arco y la flecha.

Aprovechando que su enemigo estaba distraído, el muchacho consiguió sacar su espada para cortar la red.

—Sujétate a mí —le gritó a Elena. Sintió los brazos de su amiga en su cintura. Cortó la red y consiguió agarrarse con la otra mano a una de las cuerdas. Los dos amigos se lanzaron hacia los arqueros que seguían entre los árboles. Tom se soltó y atacó a sus enemigos.

Elena se levantó inmediatamente y apuntó con la daga a la garganta de uno

de los ancianos. Tom rodó por el suelo y puso la punta de su espada sobre el pecho del arquero herido. *Plata* se quedó a su lado.

—¡Bajad los arcos! —gritó la muchacha apretando la punta de su cuchillo contra la piel del anciano. Tom sabía que su amiga jamás le haría daño a un habitante de Avantia, pero representaba muy bien su papel.

El chico se puso de pie sin dejar de apuntar con la espada al arquero herido. Una a una, se fueron extinguiendo las llamas de las flechas.

—No le hagas daño —le dijo el anciano—. Está asustado, igual que el resto de nosotros.

—No pensamos hacerle daño a nadie —contestó el muchacho—. Sólo queremos hablar.

Elena soltó al anciano y éste avanzó indeciso hacia Tom. Sus ojeras reflejaban que no había dormido hacía tiempo y tenía la piel gris, como un pergamino viejo.

—Me llamo Derlot —dijo—. Vengo del pueblo de Rokwin.

—Conozco ese lugar —dijo Tom.

La cara de Derlot se ensombreció.

—Ahora no lo reconocerías. La enfer-

medad lo ha arrasado. —Movió la mano
hacia las caras que había entre los árboles—. Somos los únicos que hemos podido escapar.

El ruido de los cascos de *Tormenta* hizo
que Tom se volviera. El caballo salió de
su escondite entre los árboles y se puso
a su lado.

—¿Hacia dónde os dirigís? —preguntó Derlot.

—A Piedradura —dijo Tom cauteloso—. Queremos ir al volcán.

Derlot abrió los ojos y bajó la voz.

—Si vuestro destino es el volcán, debéis saber que hay algo más que amenaza a Avantia.

—¿Qué quieres decir? —preguntó el muchacho.

Derlot se acercó.

—La plaga no es la única maldición que está castigando esta tierra. ¡También hay un dragón!

Elena miró sorprendida a Tom, pero éste consiguió no mostrar ninguna emoción. Aduro le había dicho que jamás debía revelar la verdad de su Búsqueda a nadie.

—¡Un dragón! —dijo—. ¿Existen de verdad?

—Lo vi con mis propios ojos —dijo Derlot—. Un dragón que respira hielo en lugar de fuego. Por su culpa me he quedado sin mis hierbas medicinales, con las que curo a los enfermos.

Los dos amigos intercambiaron una mirada. ¿Explicaría eso los estanques congelados y los carámbanos de hielo de los árboles? ¿Sería *Blaze* el responsable?

—Si no me creéis —añadió Derlot—, os puedo mostrar mi jardín de hierbas. Sólo espero que el dragón no vuelva.

Tom asintió.

—Vamos.

Derlot los guió por el denso bosque. Tom llevaba a *Tormenta* y Elena iba detrás con *Plata* a su lado.

—En el pueblo no me cree nadie —dijo el guía deteniéndose bajo una rama—. Pero yo sé lo que vi.

A medida que se adentraban entre los árboles y subían las bajas laderas de Rokwin, Tom notó que el aire se hacía más frío.

Tormenta resopló y le salió humo blanco por los ollares. También Tom podía ver su propio aliento. Llevaban andando un buen rato y el chico se preguntó si el anciano se habría perdido.

—Ya estamos cerca —susurró Derlot abrigándose con su túnica.

Salieron a un claro. Elena se quedó sin respiración. Tom vio que el suelo estaba completamente blanco, cubierto de escarcha y cristales de hielo que brillaban como pequeños diamantes sobre los tallos rotos y los arbustos destrozados.

—Éste era el jardín de las hierbas —le dijo el anciano— y mi única esperanza de curar a la gente de la enfermedad que aflige a mi pueblo.

—¡Ay, pobre! —dijo Elena señalando un conejo que yacía entre las plantas cubiertas de hielo. Se había quedado congelado a medio salto, con las orejas hacia arriba y el cuerpo estirado como si estuviera intentando huir. Definitivamente, el frío que estaba haciendo no era normal.

Plata olfateó al conejo congelado y después volvió la cabeza hacia Elena como si no entendiera por qué su presa no salía corriendo.

—¿Me creéis ahora? —preguntó Derlot—. ¿Creéis lo que dije del dragón?

Tom asintió, sintiendo un escalofrío que le dejó frío el corazón y que no tenía nada que ver con el aire helado.

—Te creo —dijo.

Esta vez Malvel y sus Fieras habían ido demasiado lejos.

CAPÍTULO CINCO

LAS HIENAS DE ROKWIN

A medida que se alejaban del frío claro, Elena se acercó a Derlot.

—¿Cuándo empezó la enfermedad? —le preguntó.

—Hace cinco días —contestó éste—, cuando a uno de los pastores, Adam, le mordió una hiena por la noche. Consiguió escapar dándole golpes al animal con su bastón y subiéndose a un árbol.

Elena le ofreció el brazo para ayudarlo a cruzar un pequeño arroyo.

—¿Una hiena? —exclamó Tom.

—Sí —continuó Derlot—. Es muy raro porque normalmente no se acercan a Rokwin. —El anciano suspiró—. Adam se puso muy enfermo por la noche. Sudaba y murmuraba entre sueños. A la mañana siguiente, la enfermera que lo había cuidado empezó a tener los mismos síntomas.

—¿Se estaba extendiendo la enfermedad? —preguntó Tom llevando a *Tormenta* por encima de unas rocas.

Derlot asintió.

—Al día siguiente, al anochecer, aparecieron más hienas. Una docena de ellas se escondieron entre la maleza al sur del pueblo. Sus aullidos nos mantuvieron a todos despiertos. Pusimos a varias personas con arcos y hondas para que vigilaran las vallas de Rokwin, pero las hienas las atacaron bajo la luna llena. —Derlot movió la cabeza apesadumbrado—. Se colaron en las casas y mordieron a quien se pusiera en su camino.

—¿Mataron a mucha gente? —preguntó Elena.

—Eso es lo más raro —dijo Derlot—. Era como si las hienas no quisieran matar a nadie. Sólo mordían una vez y después regresaban a su guarida entre la maleza. A la mañana siguiente, la mitad del pueblo estaba enferma. Los que seguían sanos, decidieron huir...

«Esto suena a la magia de Malvel —pensó Tom—. A lo mejor, las hienas son el segundo adversario del que nos habló el Brujo Oscuro.»

Cuando volvieron al camino, ya era casi de noche y los estaba esperando el resto del grupo.

Elena se llevó a su amigo a un lado

mientras Derlot iba a hablar con sus seguidores.

—Tom, tenemos que ayudar a esta gente —le susurró—, aunque tengamos que retrasar nuestra Búsqueda.

—Tienes razón —asintió Tom—. Creo que Malvel está detrás de todo esto y debemos enfrentarnos a él esté donde esté. Pero ¿qué podemos hacer para evitar la plaga?

Elena frunció el ceño durante un momento y después se le iluminó la cara.

—Mi tía me enseñó que la corteza de sauce en polvo sirve para curar las mordidas de animales. A lo mejor también sirve para esto.

—¿Tienes esos polvos? —preguntó el chico.

Elena negó con la cabeza.

—No, pero a lo mejor la gente del pueblo sabe dónde lo puedo conseguir.

Elena se dirigió al asustado grupo y

preguntó si alguien sabía si había sauces por aquel lugar.

—Cerca del río hay sauces —contestó una joven fornida—. Está bastante lejos, pero hay muchos.

Mientras Elena reclutaba algunas personas para ir al río, Tom se subió a *Tormenta*.

—¿Adónde vas? —preguntó Derlot.

—A encargarme de las hienas —dijo el muchacho—. Dijiste que estaban al sur del pueblo, ¿no?

—Sí —contestó el anciano—, pero son muchas. A un chico como tú lo despedazarán en mil pedazos.

Tom sonrió.

—Ya me he enfrentado antes a las hienas. No me asustan. —Vio que Elena estaba lista para salir—. Ten cuidado —le aconsejó—. A lo mejor también hay hienas cerca del río.

Elena se agachó y puso la mano encima de su lobo.

—Tengo a *Plata* para que me proteja. —Le acarició el grueso pelaje del cuello y dijo—: ¿A que no te dan miedo unas cuantas hienas sarnosas?

Plata gruñó y enseñó los dientes. Tom se sentía mucho mejor al saber que el lobo estaría al lado de su amiga.

Le dio un toque de talones a *Tormenta* y salieron galopando por el camino que daba a Rokwin.

Se estaba haciendo de noche y todos los sonidos se amplificaban en sus oídos. El bosque lo rodeaba por ambos lados. Los búhos parecían darle la bienvenida ululando mientras pasaba por las afueras del pueblo de Rokwin.

Muy pronto desapareció el camino y el muchacho se encontró rodeado de arbustos con espinas. «Ésta debe de ser la maleza de la que me habló Derlot», pensó. *Tormenta* aminoró el paso, movió la cabeza y relinchó. Tom le acarició las crines y se apeó. En el suelo había huellas de unas patas grandes... hienas.

Unos leves gruñidos se oían entre la maleza.

—Quédate aquí —le susurró Tom a *Tormenta*. El chico se agazapó y se dirigió hacia el lugar de donde provenía el sonido. La risa siniestra de las hienas se extendía por el aire de la noche mientras Tom se metía entre las ramas de espinas afiladas. Entonces las vio.

Una manada de criaturas sarnosas, con las costillas marcadas bajo la piel, estaban peleándose en un claro. Lanzaban hierba y polvo por los aires mientras se desgarraban unas a otras con los dientes y las garras. Les caía saliva por la boca y aullaban mostrando los dientes. Tom las contó, eran diez en total. Tenía que pensar un plan para enfrentarse a todas a la vez.

Sintió un picor en la nariz. Un olor rancio, como de carne muerta, se le metió por la nariz. Después oyó unos crujidos cerca. Se dio la vuelta y desenvainó su espada justo en el momento en que una hiena rabiosa se abalanzaba hacia él. Le clavó la espada y la mató. Después empujó al animal con el pie para desenganchar su espada.

Los gruñidos en el claro habían cesado. Tom levantó la vista.

Diez pares de ojos, como veinte monedas de plata brillando bajo la luz de la luna, lo observaban. Una a una, las hienas se fueron acercando.

Después empezaron a correr en dirección hacia el muchacho. En sus ojos se reflejaba la muerte.

CAPÍTULO SEIS

UN ATAQUE NOCTURNO

Tom sabía que no podía enfrentarse a todas las hienas a la vez y salió corriendo hacia *Tormenta*. Ya no tenía el poder que le daba la armadura dorada de conseguir saltar largas distancias, así que se subió a la silla de su caballo. Las hienas lo rodearon.

—¡Vamos! —gritó dándole con los talones en los ijares. *Tormenta* arremetió contra las hienas, haciendo que se desperdigaran. Una de ellas aulló al quedarse atrapada entre los cascos del caballo.

Las otras hienas se reagruparon y aullaron a la noche, mostrando sus largos colmillos amarillos.

A Tom se le había ocurrido un plan, pero para que funcionara tenía que conseguir que las hienas lo siguieran. *Tormenta* se levantó sobre sus patas traseras alarmado mientras los fieros animales se acercaban, pero el chico consiguió calmar a su caballo.

—Está bien, muchacho —dijo—. Vamos a salir de ésta.

Las hienas iban hacia adelante y hacia atrás, con el pelo del lomo erizado y la espalda arqueada.

Una vez más, Tom dirigió al caballo hacia las rabiosas criaturas. Una de ellas saltó, pero Tom le dio con la parte plana de su espada. Otras se echaron a un lado, con sus finos labios retorcidos.

El chico llevó a Tormenta por el camino, dejando Rokwin atrás, y se metió en el bosque. Detrás de él oía los ladridos de las hienas que lo perseguían. Estaban cerca. *Tormenta* galopaba valientemente entre los árboles. Tom intentaba esquivar las ramas que le daban en la cara.

Un montón de troncos bloqueaba el camino y el muchacho cambió de dirección. Dos hienas se movieron rápidamente entre la maleza y se lanzaron al flanco de *Tormenta*. Tom soltó las riendas para apartar a una de ellas con el escudo y lanzarle una estocada a la otra.

Tormenta siguió galopando y salieron del bosque. Pasaron por los campos verdes en dirección a la Tierra Prohibida. *Tormenta* estaba empapado de sudor y sus crines brillaban en la oscuridad, pero no aminoró la marcha.

Cuando a Tom le pareció que habían dejado demasiado lejos a las hienas, hizo que su caballo fuera más despacio para que los animales los pudieran alcanzar. No podía perderlas ahora, cuando su plan estaba a punto de terminar.

Pasaron por el lago helado donde él y Elena habían parado al llegar a Avantia y se volvió a meter en el Bosque Oscuro. Allí habían llevado a cabo su última Búsqueda, donde se tuvieron que enfrentar a *Luna*, la loba de la luna. Tom dirigió a *Tormenta* por los caminos retorcidos que se abrían entre los árboles. Era como si tuviera el recorrido perfectamente memorizado en la mente. La joya amarilla que había conseguido al vencer a *Narga*, el monstruo marino, le otorgaba el poder de una memoria perfecta.

Mientras se metían entre los troncos plateados, las pisadas de las hienas se fueron haciendo más suaves. Tom se arriesgó a mirar hacia atrás y sólo vio a cuatro o cinco animales entre las sombras. Parecían inseguras. Su técnica había funcionado: las hienas estaban desorientadas en un terreno poco familiar. Algunas ya se habían perdido en el bosque.

A Tom le dolían las piernas de agarrarse a los ijares de *Tormenta*, pero no se soltó. Siguió avanzando en zigzag por el bosque hasta que la última hiena se cayó al suelo, con la lengua fuera. Entones, salió galopando y dejó atrás el laberinto de árboles oscuros. Con un poco de suerte, las hienas nunca más regresarían ni seguirían extendiendo la enfermedad.

Era media noche cuando Tom y *Tormenta* trotaban por el camino del bosque en dirección a Rokwin. Un humo gris se elevaba hacia el cielo proveniente de unas pequeñas fogatas a las afueras del pueblo. Los ciudadanos del pueblo que seguían sanos, y que Tom había visto en el bosque, se apilaban alrededor del fuego y cocinaban un brebaje con olor a rancio en unas ollas de hierro. El chico encontró a su amiga junto a un grupo de personas. *Plata* yacía pacientemente a su lado.

—¡Has vuelto! —exclamó Elena al verlo.

Tom se bajó del lomo de *Tormenta*.

—Las hienas no volverán a ocasionar problemas.

—Nosotros también hemos estado bastantes ocupados. Encontramos la corteza de sauce —dijo Elena mientras se acercaban a dos mujeres delgadas que estaban durmiendo profundamente. Había otra mujer sentada, dando sorbos a una taza de barro.

—Estas tres señoras estaban enfermas hasta hace unas horas.

Una sonrisa se dibujó en el rostro cansado de Tom.

—Tu amiga es muy hábil —dijo una voz que le resultaba familiar. El chico se volvió y vio que Derlot se acercaba hacia ellos—. Tenemos suficiente medicina para todos. Pronto, todos los ciudadanos de Rokwin se habrán curado.

Tom estaba contento; sin embargo, no podía relajarse. Había conseguido salvar un obstáculo, pero la Fiera de Malvel seguía esperándolos.

—Debemos irnos —dijo.

—¡No! —exclamó Derlot—. Debemos ofrecerte un festín. Los dos nos habéis salvado la vida.

—Me temo que tengo que solucionar otro problema —dijo Tom—. Y no puede esperar.

—¿El dragón? —susurró Derlot.

El muchacho asintió sin poder mentir. Se subió a *Tormenta* y ayudó a Elena a montar detrás de él.

—Adiós, Derlot —dijo.

—Buena suerte, jóvenes héroes —contestó el anciano. Los ciudadanos del pueblo les dieron las gracias y se despidieron de ellos.

Tormenta galopaba por el camino rocoso hacia Piedradura, con *Plata* a su lado. Muy pronto, dejaron atrás los chasquidos de las hogueras y el olor a madera quemada.

El volcán se alzaba ante ellos en la distancia y Tom sentía como si estuviera volviendo a su casa. Sonrió para sus adentros mientras recordaba la última vez que había visitado aquel lugar, durante su Búsqueda para liberar a *Epos*. En aquel momento, la visión del gigantesco pájaro en llamas con sus plumas ardiendo le había producido mucho miedo. Pero una vez que lo rescató del maleficio de Malvel, *Epos* se había convertido en uno de sus amigos más leales.

Tom frunció el ceño. El volcán ya no olía a azufre y el aire no era tan cálido como debía ser. Era como si el gran volcán se hubiera quedado inactivo y sin vida.

Con su poder de supervista, el muchacho estudió las laderas por si divisaba a la quinta Fiera Fantasma de Malvel, pero no consiguió ver ningún movimiento en la oscuridad.

—Deberíamos pararnos para pasar la noche —dijo—. Buscaremos a *Blaze* cuando salga el sol.

A Elena le pareció buena idea descansar y se tumbó con *Plata* al amparo de una gran piedra. *Tormenta* se recostó a un lado del camino y Tom se sentó y apoyó la espalda en su suave panza, dispuesto a quedarse vigilando por si se presentaba algún peligro.

Volvió a pensar en *Epos*. ¿Estaría en peligro el pájaro en llamas? Tom se prometió que si Malvel le había hecho daño, se vengaría. Pero su ira no consiguió mantenerlo despierto. Las estrellas empezaron a hacerse borrosas y notó cómo el sueño lo envolvía.

Se despertó sobresaltado. Sintió una presión helada en el pecho.

Miró hacia abajo y vio que algo se arrastraba sobre su pecho. Sus manos tocaron unas escamas verdes y rojas que lo rodeaban y eran tan gruesas como el cuero de la silla de montar.

¡Blaze!

CAPÍTULO SIETE

UN ENEMIGO CONOCIDO

Tom sintió una sensación de pánico y dolor en la garganta a medida que el dragón le comprimía el torso. Intentó levantarse, pero no podía mover las piernas. El dragón le había rodeado la parte de debajo de su cuerpo con su cola serpenteante. Giró el cuello y los dos ojos brillantes de su delgada cabeza lo miraron intensamente.

El chico observó su lengua bífida, negra como la noche, que salía y entraba entre los labios sin sangre del reptil. El dragón acercó su cabeza hasta la de Tom. Éste quería apartar la cara, pero no podía. Había algo en los ojos del dragón. No eran como los de ninguna otra Fiera a la que se había enfrentado. Parecían... humanos. Tom estaba convencido de que los había visto antes en algún sitio.

Intentó llamar a Elena, pero de su garganta sólo salió un grito ahogado. Se retorció tratando de sacar los brazos. Movió los hombros y las caderas, intentando inútilmente liberarse del abrazo mortal de la Fiera. El cuerpo escamoso del dragón apretó más y Tom notó que sus costillas se empezaban a romper.

Tormenta resopló en la oscuridad mientras Elena seguía durmiendo unos pasos más allá, totalmente ajena al peligro. Tom tenía que despertarla. Si el dragón lo mataba, ella sería la siguiente. Vio su escudo apoyado en una roca. Si consiguiera hacerlo caer, el sonido despertaría a su amiga.

Mientras el musculoso cuerpo de la Fiera volvía a moverse, Tom intentó tomar aire con fuerza. El dragón de hielo no apartó la cabeza. Era como si *Blaze* quisiera ver cómo moría asfixiado. En ese momento el chico supo dónde había visto esos ojos antes.

¡Malvel!

De alguna manera, el Brujo Oscuro se había metido dentro de la Fiera y la controlaba con su magia diabólica.

Con un esfuerzo sobrehumano, Tom estiró las piernas hacia el escudo y consiguió meter el pie por debajo. Reunió las pocas fuerzas que le quedaban, lo lanzó por los aires y lo hizo caer sobre una pequeña roca.

El ruido despertó a Elena, que se puso de pie en un abrir y cerrar de ojos.

Tom empezó a verlo todo oscuro y sintió que sus miembros se debilitaban. ¿Sería el final?

De pronto, el abrazo mortal de *Blaze* se aflojó y los pulmones del muchacho se volvieron a llenar de aire. Inmediatamente supo por qué. Una de las flechas de Elena se había clavado en el cuerpo del dragón. *Plata* se abalanzó sobre la Fiera e intentó morderle en un costado, pero sus dientes resbalaban inútilmente en las gruesas escamas.

—¡Aguanta! —gritó Elena disparando otra flecha con su arco. Tom consiguió liberarse y rodó por el suelo para coger su espada. Pero antes de que pudiera agarrar la empuñadura, la cola de *Blaze* se extendió como un tentáculo y le rodeó el tobillo. El chico miró por encima del hombro y vio que la Fiera lo arrastraba hacia sus fauces abiertas. Los dientes del dragón eran de color verde, pero su boca era roja como la sangre.

Tom clavó las uñas en la tierra para intentar coger su espada, estirándose hasta el límite. Por fin consiguió cerrar los dedos alrededor de la empuñadura. Mientras el dragón lo arrastraba hacia atrás, se volvió y blandió la espada contra su cabeza. Pero el filo atravesó a la Fiera y chocó contra el suelo. El cuerpo

del dragón era ahora transparente. ¡Se había vuelto fantasma!

Sintió que la rabia lo invadía mientras se ponía de pie. Al igual que las otras Fieras de esta Búsqueda, *Blaze* tenía el poder de convertirse en fantasma en un instante. Volvió a blandir la espada e intentó clavarla en las escamas semitransparentes, pero una vez más, el filo de su arma no encontró ninguna resistencia y atravesó a la Fiera. El cuerpo de *Blaze* empezó a recuperar el color mientras se volvía a hacer de carne y hueso.

—¡Mira! —gritó Elena señalando—. ¡El trozo del amuleto!

A Tom le latió el corazón con fuerza al ver que el trozo del amuleto estaba metido entre las escamas de *Blaze,* donde su cuerpo se unía con la cabeza. Saltó sobre una piedra y se lanzó hacia el dragón para alcanzar su premio.

La Fiera movió la cola como si fuera un

látigo y le dio en el pecho al muchacho, que cayó al suelo. El chico se quedó mirando impotente cómo el dragón de hielo se elevaba por el aire, moviendo la cola para impulsarse. *Plata* aulló a la Fiera que se esfumaba y *Tormenta* relinchó con rabia.

Blaze sobrevoló el cráter del volcán mientras la risa de Malvel resonaba por las laderas.

—Ven a buscarme... si te atreves.

Con esas palabras, la Fiera bajó la cabeza y se lanzó en picado hacia el corazón del cráter.

Tom se levantó.

—Es una trampa —dijo Elena.

La primera luz del amanecer se asomaba en el cielo. Tom sabía que no había dormido mucho, pero no se encontraba cansado. Haber estado tan cerca de la muerte lo hacía sentirse más vivo que nunca.

—Ya hemos conseguido vencer a Malvel en otras ocasiones. ¡Lo volveremos a conseguir! Debemos seguir a *Blaze*.

Tom vio que *Tormenta* pateaba, como si estuviera deseando empezar el día.

—Quédate aquí, muchacho —dijo—. Al volcán sólo se puede ir a pie.

Elena acarició a *Plata*.

—Y tú te quedarás para cuidarlo —le dijo.

Tom y Elena se despidieron de sus animales de compañía y se metieron por el camino. El aire frío les cortaba la piel.

—¿Te acuerdas de la última vez que estuvimos aquí? —preguntó Elena mientras subían por la rocosa ladera—. Del borde del cráter salía lava.

Tom asintió mientras llegaba a un risco.

—La lava podía haber destrozado las casas del pueblo, pero conseguimos terminar la Búsqueda y salvar a *Epos*.

—*Epos*... —le dijo Elena muy seria—.
¿Dónde estará? ¿Y por qué hace tanto frío
aquí?

Tom miró hacia el cráter, donde *Epos*
tenía su nido. De momento no lo habían
visto por ningún lado. Sintió un nudo de
rabia por dentro.

—Si Malvel le ha hecho daño a mi amigo, me las pagará —dijo.

CAPÍTULO OCHO

EPOS PRISIONERO

El aire se iba haciendo más frío a medida que subían por el sinuoso camino de las laderas rocosas. Era como si todas las leyes de la naturaleza se hubieran invertido.

Mientras avanzaban hacia el borde del cráter, el viento helado se le clavaba a Tom en los ojos. La corriente helada se llevaba su aliento. Miró a Elena y vio que ya empezaba a tener los labios morados.

—¿Estás bien como para seguir? —preguntó por encima del viento.

—M-mientras p-pueda disparar una flecha, no me pienso detener —contestó ella.

A Tom le dolían las piernas al subir los últimos metros hasta el borde del cráter. Hacía mucho tiempo, había visto a *Epos* elevarse majestuosamente sobre ese mismo lugar, con sus plumas en llamas del color del rubí y sus espolones bañados en oro. ¿Dónde estaba ahora?

Elena se acercó hasta donde se encontraba Tom. El viento hacía que el pelo le tapara su pálida cara. Ambos se quedaron observando la caída que tenían por debajo.

La vista era descorazonadora. Los bordes del cráter estaban cubiertos de cristales de hielo. Unas grandes columnas azules y blancas se alzaban desde las profundidades como torres de diamantes.

La lava, que debía de estar hirviendo en el fondo del cráter, se hallaba completamente cubierta por una gruesa capa de hielo. Y allí, bajo la superficie, se veía algo que hizo que Tom se sintiera más desesperado todavía. ¡*Epos*, con sus inmensas alas abiertas, estaba atrapado bajo el hielo!

—¡Pobre *Epos*! —exclamó Elena—. Sólo alguien como Malvel podría hacer algo tan cruel.

Tom se quedó casi mudo de rabia.

—¡Debemos rescatarlo!

No veían a *Blaze* por ninguna parte, así que empezaron a descender por las empinadas paredes del cráter, con mucho cuidado de dónde ponían los pies. *Epos* voló hasta el techo de su prisión de hielo. Una bola de fuego, como un sol en miniatura, se formó entre sus espolones y la lanzó hacia el hielo.

—Está intentando escapar —dijo Elena.

Epos volvió a hacer lo mismo, y esta vez, Tom vio que había conseguido formar una pequeña grieta en la capa de hielo. Llegaron hasta la parte plana del terreno, cerca de la piscina de lava congelada y vieron que el pájaro en llamas lanzaba otra bola de fuego, que chocó contra el hielo produciendo una segunda fisura.

—Está funcionando —dijo Elena.

—¡Una más, *Epos*! —le animó Tom—. ¡Puedes hacerlo!

Mientras la cuarta bola de fuego se estaba formando entre los espolones del pájaro en llamas, se oyó un rugido que venía de arriba, que hizo temblar las paredes del volcán. Tom alzó la mirada. *Blaze* planeaba hacia ellos, con la boca abierta y la saliva cayéndole de entre sus afilados dientes. Sus ojos humanos tenían un brillo maligno. La risa de Malvel hizo eco en el cráter.

La Fiera sobrevoló muy cerca lanzando un chorro de aire helado por la boca que dirigió directamente hacia la capa de hielo. A Tom se le cayó el alma a los pies. El hielo ahora era el doble de grueso.

Las bolas de fuego de *Epos* tenían muy poco efecto en la barrera fortalecida, pero el pájaro en llamas seguía intentándolo y lanzaba una bola detrás de otra hacia el hielo. Cada vez que parecía que sus esfuerzos iban a conseguir algo, la Fiera malvada lanzaba más aire helado para taparle la salida. A *Blaze* sólo parecía interesarle mantener a *Epos* prisionero y apenas prestaba atención a Tom y Elena.

—Tiene que haber una manera de detener a *Blaze* —dijo Elena.

—No tenemos que detenerlo —dijo Tom—. Debemos mantenerlo ocupado y darle a *Epos* la oportunidad de escapar. ¿Puedes distraerlo mientras intento bajar hasta el hielo?

La muchacha ya había puesto una flecha en su arco antes de que su amigo dijera esas palabras.

—Muy bien —dijo el chico—. Vamos a llamar la atención de *Blaze*.

Elena disparó una flecha hacia el dragón y *Blaze* lanzó un chillido de dolor cuando se clavó en su costado. Tom empezó a descender hacia el hielo resbalando por la superficie. Vio que Elena disparaba otra flecha, pero esta vez *Blaze* se volvió fantasma y la flecha lo atravesó.

Tom ahora estaba encima del hielo. Al verlo tan cerca, *Epos* lanzó otra bola de fuego.

—¡Cuidado! —Tom oyó a gritar a Elena. Se dio la vuelta y vio que *Blaze* iba volando hacia él. Tom se echó a un lado justo cuando el dragón soltaba una ráfaga de hielo por la boca. Tom saltó y se lanzó hacia la Fiera. Blandió su espada mientras el dragón daba una vuelta en el aire, pero en el último segundo, *Blaze* se hizo fantasma y el filo del arma lo atravesó. El dragón lanzó otra ráfaga helada para reforzar la capa de hielo.

«¿Cómo voy a vencer a esta Fiera? —se preguntó Tom—. Ni siquiera me puedo acercar a ella.»

Epos no se daba por vencido y formó otra bola de fuego. Su luz intensa brillaba a través del hielo y reflejaba la sombra del cuerpo de Tom sobre la pared del volcán. El chico vio que *Blaze* iba hacia él otra vez y se preparó para intentar atravesarle el corazón con la punta de su espada. Una vez más, *Blaze* se hizo fantasma y el ataque de Tom fue en vano. La malvada Fiera volaba en estado semitransparente por encima de la cabeza del muchacho.

—¿Te has quedado sin recursos? —se burló la voz de Malvel.

Una sensación de rabia se apoderó de Tom y empezó a blandir salvajemente la espada en el aire.

Por el rabillo del ojo, vio que su sombra hacía los mismos movimientos que él, y para su sorpresa, *Blaze* gritó y se retorció. Era como si la espada de la sombra de Tom estuviera conectada de alguna manera con la Fiera Fantasma. Una gota de sangre azul goteó entre las escamas de *Blaze*.

Tom miró a *Epos*. El pájaro en llamas había hecho otra bola de fuego pero por algún motivo no la había lanzado. La luz de la bola hacía que la sombra del muchacho se reflejara en la pared. «¿A lo mejor está...?» ¡Sí, *Epos* le estaba diciendo algo importante!

Volvió a blandir la espada salvajemente y la sombra de su arma se volvió a unir con la Fiera Fantasma. *Blaze* rugió de dolor por segunda vez, con una expresión de aturdimiento en sus ojos brillantes. Pero Tom no estaba aturdido, ahora entendía por qué *Epos* no había lanzado la bola de fuego. Quería que su sombra no se desvaneciera. El chico notó un hormigueo en la piel al darse cuenta de lo que significaba este descubrimiento.

«Puede que yo no sea capaz de enfrentarme a la Fiera Fantasma —pensó—, pero mi sombra sí lo es.»

CAPÍTULO NUEVE

LA SOMBRA DEL GUERRERO

Tom se preparó para atacar otra vez, pero la Fiera Fantasma se elevó y aterrizó en un saliente helado fuera del alcance de la sombra de Tom. Éste sabía que tenía que aprovechar su ventaja ahora que la Fiera estaba herida. Pero ¿cómo iba a atacar a *Blaze* con su sombra si la Fiera Fantasma estaba fuera de su alcance?

«¡Claro! —pensó—. ¡La joya blanca!»

Sacó de su cinturón la gema que le había dado *Kaymon*, el perro gorgona. Le daba el poder de separarse de su sombra.

Subió hasta donde estaba Elena, que seguía apuntando con una flecha al dragón de hielo por si éste dejaba de ser un fantasma. Le susurró al oído su plan para que Malvel no lo oyera.

—Mi sombra es lo único que puede hacer daño a *Blaze* mientras está en estado fantasma —dijo—. Y la única manera de que mi sombra llegue hasta él es con la joya de *Kaymon*.

Elena frunció el ceño.

—Es demasiado peligroso, Tom —susurró—. Cuando te separas de tu sombra no te puedes mover. Si *Blaze* te ataca, no podrás defenderte.

Tom sabía que su amiga estaba preocupada por él, pero no podía echarse para atrás.

—Sé que es arriesgado —dijo—, pero

si nos quedamos aquí esperando, *Blaze* se recuperará y nos dejará congelados, igual que hizo con aquel conejo en el jardín de Derlot.

De pronto, *Epos* soltó un grito. Estaba cansado y la bola de fuego de sus espolones se apagó un poco. Tom miró hacia atrás y observó la dura expresión del rostro de Elena.

—Haré todo lo que pueda para protegerte —dijo ésta—. Si *Blaze* se acerca demasiado, tendré listas las flechas.

Tom le dio a Elena un abrazo para agradecerle su ayuda, después respiró con fuerza e invocó el poder de la joya blanca.

Se sentía mareado y tuvo que adelantar un pie para no caerse antes de abrir los ojos.

Pero no se movió.

—Tom —dijo Elena entusiasmada—. ¡Funciona!

Su sombra despegó una pierna de él. El chico le ordenó que hiciera lo mismo con la otra pierna, y su sombra se quedó delante de él como si fuera otra persona. A continuación le dijo por telepatía que desenvainara la espada. A pesar de que los brazos de Tom estaban inmóviles como una estatua, su sombra fue capaz de sacar la espada.

«Enfréntate a *Blaze*», le ordenó. Tom no podía moverse, pero su sombra hizo exactamente lo que él le había pedido. Salió disparada por el hielo y trepó por la pared de la caverna hasta el borde, donde *Blaze* comenzaba a moverse en círculos una vez más.

«¡Más rápido!», le apremió Tom. Su sombra avanzó en silencio por la pared y llegó hasta el borde.

Inmediatamente, la Fiera Fantasma se volvió para enfrentarse a la sombra y le pegó un coletazo. La sombra se agachó y se protegió con la espada, haciendo que el dragón de hielo lanzara un grito agonizante. *Blaze* saltó desde el saliente y planeó hacia abajo, formando otra capa de hielo sobre la prisión de *Epos*. La sombra de Tom también saltó, con la espada en alto, persiguiendo sin tregua a *Blaze*.

«¿Por qué la Fiera de Malvel no se ha-

brá quedado a pelear? —se preguntó Tom—. ¿Por qué es tan importante que proteja la capa de hielo?»

Epos pareció recuperar fuerzas y formó otra bola de fuego, mientras *Blaze* y la sombra de Tom volvían a enfrentarse. La Fiera Fantasma se lanzó hacia adelante, esquivando la espada de la sombra en el último segundo. Después pegó un golpe con su fuerte cola. Le dio a la sombra de Tom en la cabeza y la hizo chocar contra la pared. Tom sintió el dolor en su propio cuerpo.

Blaze no persiguió a la sombra, sino que volvió a lanzar otra capa de hielo, haciendo que la placa helada que aprisionaba a *Epos* se volviera a congelar.

De pronto Tom se dio cuenta de algo. *Blaze* era un *dragón de hielo*. *Epos*, un *pájaro en llamas*. Si el hielo podía aprisionar a *Epos*, a lo mejor el *calor* era el enemigo de *Blaze*. ¿Sería ésa la razón por la que *Blaze* debía mantener prisionero a *Epos*?

A Tom le habría gustado poder contarle su descubrimiento a Elena. A lo mejor ella podía ayudar a *Epos* a romper el hielo y escapar. Pero su voz, como el resto de su cuerpo, estaba paralizada. Debía arreglárselas él solo.

Tenía que ser capaz de moverse de alguna manera.

Su cerebro le decía que era imposible, pero su corazón le indicaba todo lo contrario.

Tom envió a su sombra hasta el fondo de la caverna y *Blaze* la siguió. Mientras estaban distraídos, el chico reunió todas sus fuerzas para intentar mover sus miembros congelados. Notó que empezaba a sudar por todo el cuerpo y que el corazón le latía con fuerza en el pecho. Con un gran esfuerzo, consiguió volver la cabeza, pero sentía como si las venas del cuello estuvieran a punto de reventar. Después se concentró en mover un brazo. Era como intentar levantar uno de los yunques de la forja de su tío. Su cuerpo gritaba de dolor, pero por fin consiguió moverlo un poco. Sus ojos captaron la expresión de la cara de Elena, que tenía la boca abierta de la sorpresa.

Tuvo que hacer un esfuerzo sobrehumano, pero, de alguna manera, Tom consiguió arrastrar el cuerpo hasta la prisión de *Epos*. Levantó el escudo por encima de su cabeza.

Por debavo del hielo, *Epos* movía las alas salvajemente con anticipación. Verlo le dio más fuerzas a Tom. Con un rugido de determinación, bajó el escudo y lo hizo chocar contra el hielo.

Una grieta se abrió en el centro de la placa de hielo y Tom se cayó de rodillas. Vio aliviado cómo *Epos* conseguía liberarse en una ducha de astillas de hielo y alzaba el vuelo. De pronto, el cráter se llenó de una luz dorada y el hielo empezó a derretirse por todas partes y a caer como riachuelos por las paredes.

El grito de desesperación de Malvel resonó en la caverna, y *Blaze* de pronto volvió a adquirir su forma sólida. Las escamas verdes y rojas de la Fiera brillaban entre el fuego abrasador. Parecía como si no pudiera hacerse fantasma entre la neblina de la roca derretida. El dragón se elevó por encima de la sombra de Tom, pero no suponía ningún peligro en estado sólido.

—¡Lo has conseguido! —gritó Elena—. ¡*Epos* está libre!

Tom se sentía orgulloso, pero sabía que su misión no había terminado. Todavía no se podía mover bien, y era vulnerable hasta que su sombra no regresara. Se arrodilló sobre los restos del hielo y llamó a su sombra para que volviera con él.

Pero *Blaze* lo vio antes de que esto sucediera. El dragón giró su inmenso cuerpo y se acercó volando para atacarlo. La

sombra de Tom iba corriendo detrás, pero no era tan rápida como la Fiera.

Mientras *Blaze* avanzaba por el aire hacia él, el muchacho volvió a ver el trozo del amuleto cerca del hombro del dragón, el trozo que necesitaba para que su padre volviera a ser de carne y hueso. Ahora temía que no lo conseguiría jamás. El dragón abrió sus mandíbulas heladas listo para devorarlo.

CAPÍTULO DIEZ

CARA A CARA CON MALVEL

Elena disparó una flecha y consiguió clavarla en el cuello de *Blaze,* haciendo que la Fiera desviara su rumbo y se estrellara contra el suelo. La sombra de Tom aprovechó la distracción y consiguió volver a su cuerpo.

Una vez que recuperó a su sombra, Tom se sintió lleno de energía y se puso de pie.

—¡Gracias, Elena! —dijo.

—¡Ahora acaba con esa Fiera! —contestó Elena.

—Será un placer —murmuró su amigo viendo cómo *Blaze* volvía a elevarse. El dragón ya no podía hacerse fantasma y escapar.

Los ojos verdes de *Blaze* brillaban intensamente.

—Morirás en este volcán, Tom —dijo una voz. Era un rugido, pero sonaba con el tono de voz de Malvel.

El dragón lanzó un chorro de aire helado hacia el chico, que consiguió esquivarlo justo a tiempo y notó el aire frío que le rozaba las piernas.

Epos se lanzó en picado hacia *Blaze* y le arañó la piel con sus espolones. Tom vio que algo se había caído al suelo y había aterrizado en una esquina del volcán, cerca de un abismo de lava burbujeante.

«¡El trozo del amuleto!»

—¡Recupera el trozo del amuleto!

—le gritó Tom a Elena mientras *Blaze* se quitaba a *Epos* de encima para volver a atacarlo. El dragón lanzó otra ráfaga de aire frío y Tom se tiró hacia adelante, agachándose por debajo del chorro de hielo y empujando hacia arriba la espada. El filo de su arma se quedó enganchado entre las gruesas escamas del estómago del dragón. La Fiera alzó el vuelo para alejarse y Tom tuvo que soltar la empuñadura.

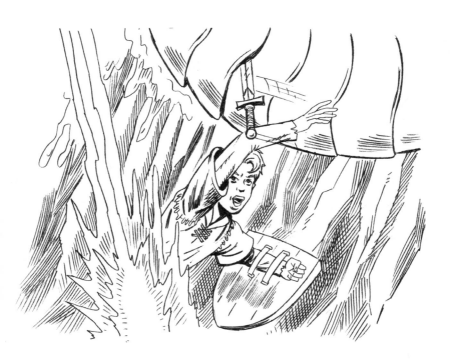

Miró hacia atrás y vio a Elena que metía el valioso trozo del amuleto en el bolsillo y corría a su lado.

Blaze dio una vuelta en el aire y se lanzó hacia abajo con la espada de Tom todavía colgando de su costado. Los dos amigos se encontraban justo al borde de una piscina de lava. No podían ir a ningún lugar.

Epos graznó desde arriba y descendió para atacar a *Blaze*, pero el dragón movió la cola e hizo que el pájaro en llamas saliera dando vueltas hacia la lava.

—Te dije que morirías en este lugar —resonó la voz de Malvel.

Blaze arqueó el lomo y se preparó para su último ataque. Sin embargo, en lugar de miedo, Tom sentía una extraña sensación de calma. Sabía que había una manera de salir de esa situación. Tenía que burlar tanto a la Fiera como al Brujo Oscuro.

Dio unos pasos al frente.

—¿Qué haces? —gritó Elena—. ¡Te matará!

—Quédate atrás —dijo Tom. Si Elena se acercaba demasiado, su plan fracasaría.

A *Blaze* le salía humo blanco por los ollares. El dragón abrió la boca para lanzar una bocanada de aire helado. Tom esperó hasta el último segundo y, entonces, levantó el escudo a medida que la ráfaga de aire salía hacia él. El chorro helado chocó con el escudo. Tom se asomó por un lado y vio como el chorro de aire rebotaba contra la superficie de su escudo y volvía hacia *Blaze*, cubriéndolo de hielo. El muchacho aguantó a pesar de que la madera de su escudo se empezaba a resquebrajar. El aire a su alrededor era helador, pero la campana de *Nanook* que había ganado cuando liberó al monstruo de las nieves

lo protegía. Lentamente apareció una barrera gruesa de hielo entre Tom y *Blaze* que llegaba hasta el borde de la pared del volcán.

Tom miró hacia atrás y vio que Elena estaba temblando de frío. Le castañeteaban los dientes, pero consiguió esbozar una sonrisa. Su amigo se alegró de que se hubiera quedado atrás; un poco más cerca y se le habría congelado la sangre.

Elena estiró un brazo tembloroso y señaló hacia adelante.

—M...M... Malvel —balbuceó.

Tom se volvió y vio al Brujo Oscuro tumbado en el suelo al lado de la Fiera congelada. El frío lo debía de haber sacado del cuerpo del dragón. Malvel se puso de pie, moviendo la cabeza confundido, antes de ver a Tom a través de la pared de hielo. Dio unos pasos y pasó los dedos por la fría superficie sin apartar la mirada de los ojos del chico.

—*Blaze* ha sido derrotado —le dijo Tom a Malvel—. Y tú también.

El Brujo Oscuro le pegó un puñetazo a la pared.

—¡Éste no es el fin! —gritó—. ¡Me vengaré!

Tom corrió hacia la pared y chocó contra ella esperando romperla. Consiguió que se hiciera una pequeña grieta. Nada le apetecía más que enfrentarse cara a cara a su enemigo.

Pero Malvel retorció la boca en una sonrisa y retrocedió lentamente.

—Será en otro momento, joven adversario —dijo—. En otro momento.

—Mientras corra la sangre por mis venas —gritó Tom volviendo a dar un golpe a la pared con el hombro—, ¡intentaré vencerte!

El cuerpo de Malvel pareció elevarse por la pared del volcán y *Blaze* se desvaneció con él. La espada que se había clavado en el estómago del dragón cayó al suelo.

Epos apareció a su lado, con sus alas desplegadas en llamas.

Una bola de fuego se formó entre sus espolones. Tom retrocedió un paso mientras el pájaro en llamas enviaba la bola de fuego dando vueltas hacia la pared de hielo.

A medida que el fuego se apagaba, en el centro de la pared apareció un agujero que se iba haciendo cada más grande a medida que la pared se derretía. Cuando fue lo suficientemente grande, Tom y Elena se metieron por él.

Tom se arrodilló y recogió su espada.

—Malvel estaba muy cerca —dijo—. Tan cerca que casi lo podía tocar.

—No te preocupes, Tom —dijo Elena—. Por lo menos tenemos esto. —Levantó el trozo del amuleto.

Tom lo cogió y lo puso junto con los otros que colgaban de una tira de cuero en su cuello. En cuanto lo hizo, apareció una luz delante de ellos, tan brillante que casi resultaba cegadora. Y allí, a tan solo unos pasos, distinguieron una figura fantasmal que el chico conocía tan bien como su propia imagen.

—¡Padre! —gritó.

—Has triunfado una vez más, hijo

mío —dijo Taladón—. *Epos* está a salvo y has detenido a Malvel por ahora.

Tom quería abrazar a su padre, pero sabía que era imposible. Hasta que no consiguiera la sexta y última pieza del amuleto, su padre seguiría siendo un fantasma.

—Sólo nos queda una Búsqueda —le dijo— y entonces volverás a ser de carne y hueso.

Taladón asintió lentamente.

—Una última Búsqueda, pero una Búsqueda mucho más peligrosa que las que habéis hecho hasta ahora. Conserva tu valor. Lo necesitarás.

Con esas palabras, desapareció.

Tom quería que su padre se quedara con él, pero alejó la tristeza de su mente.

Desde el otro lado de la pared de hielo, *Epos* abrió las alas.

—Creo que se está ofreciendo a llevarnos —dijo Elena.

Tom se subió al lomo del pájaro en llamas y Elena se puso detrás de él. La Fiera dio un salto en el aire, agitó sus alas y se elevó por encima del cráter brillante. Cuando salieron al aire puro de Avantia, Tom suspiró aliviado. La escarcha había desaparecido de la tierra.

Se bajaron del lomo de *Epos* al llegar a la cima de Piedradura, y el pájaro en llamas se volvió a meter en el volcán.

Tom se alegraba de haber finalizado con éxito su Búsqueda, pero sabía que la magia diabólica de Malvel no estaría lejos por mucho tiempo. Y además, todavía debían enfrentarse a la sexta y última Fiera.

—El fin está cerca —dijo Elena.

—Un último esfuerzo —contestó. «Estaré listo para cuando regreses, Malvel —pensó—. Siempre estaré listo.»

ACOMPAÑA A TOM EN SU
SIGUIENTE AVENTURA
DE *BUSCAFIERAS*

Enfréntate a las Fieras.
Vence a la Magia.

www.buscafieras.es

¡Entra en la web de *Buscafieras*!

Encontrarás información sobre cada uno de los libros,
promociones, animación y las últimas novedades sobre
esta colección.

Fíjate bien en los cromos coleccionables que regalamos
en cada entrega. Cada uno de ellos tiene un código
secreto en el reverso que te permitirá tener acceso
a contenidos exclusivos dentro de la página
web de *Buscafieras*.

¿Ya tienes todos los cromos?
¡Atrévete a coleccionarlos todos!

¡Consigue la camiseta exclusiva de BUSCAFIERAS!

Sólo tienes que rellenar **4 formularios** como los que encontrarás al pie de esta página de **4 títulos distintos** de la colección Buscafieras. Envíanoslo a EDITORIAL PLANETA, S. A. Área Infantil y Juvenil, Departamento de Márketing (BUSCAFIERAS), Avda. Diagonal, 662-664, 6.ª planta, 08034 Barcelona

Promoción válida para las 1.000 primeras cartas recibidas.

Nombre del niño/niña: ....

Dirección: ....

Población: .... **Código postal:** ....

Teléfono: .... **E-mail:** ....

Nombre del padre/madre/tutor: ....

☐ Autorizo a mi hijo/hija a participar en esta promoción.

☐ Autorizo a Editorial Planeta, S. A. a enviar información sobre sus libros y/o promociones.

Firma del padre/madre/tutor:

BUSCAFIERAS N.º 23 PRUEBA DE COMPRA